LE PIRATE
À LA DENT D'OR

Projet éditorial de Marcella Drago *et* Chiara Fiengo.
Texte de Roberto Pavanello.
Projet graphique de Laura Zuccotti.
Illustrations de Blasco Pisapia.
Couleurs de Pamela Brughera.
Traduction de Béatrice Didiot.

Pour l'édition originale :
© 2007, Edizioni Piemme S.p.A. – Via Tiziano, 32 – 20145 Milan, Italie
sous le titre *Il pirata Dentedoro*.
International rights © Atlantyca S.p.A. – Via Leopardi, 8 – 20123 Milan, Italie – www.atlantyca.com – contact : foreignrights@atlantyca.it
Pour l'édition française :
© 2011, Albin Michel Jeunesse – 22, rue Huyghens, 75014 Paris
www.albin-michel.fr
Loi 49-956 du 16 juillet 1949 sur les publications destinées à la jeunesse
Dépôt légal : second semestre 2011
Numéro d'édition : 19721
ISBN-13 : 978 2 226 23049 2
Imprimé en France par Clerc

BAT PAT

LE PIRATE
À LA DENT D'OR

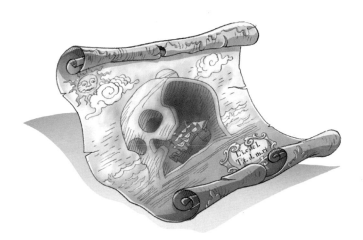

Texte de Roberto Pavanello

ALBIN MICHEL JEUNESSE

SALUT... C'EST MOI ! BAT PAT !

SAVEZ-VOUS CE QUE JE FAIS DANS LA VIE ?
JE SUIS ÉCRIVAIN, ET MA SPÉCIALITÉ, CE SONT
LES LIVRES D'ÉPOUVANTE : AVEC DES SORCIÈRES,
DES FANTÔMES, DES CIMETIÈRES...
BREF, TOUT CE QUI FAIT PEUR.
MAIS JE DOIS VOUS CONFIER UN SECRET :
EN RÉALITÉ, JE SUIS UN GRAND TROUILLARD !

Je vous présente mes amis...

Rébecca

Âge : 8 ans
Signe particulier : adore les araignées, les serpents, les rats, les crapauds…
Point faible : quand elle est énervée, vaut mieux se tenir à distance
Phrase préférée : « Bougez-vous, gros mollassons ! »

Martin

Âge : 10 ans
Signe particulier : très intellectuel
Point faible : aucun (d'après lui…)
Phrase préférée : « Un instant, je réfléchis. »

Léo

Âge : 9 ans
Signe particulier : bouche toujours ouverte (pour parler ou manger)
Point faible : c'est un gros peureux !
Phrase préférée : « Que diriez-vous d'un petit casse-croûte ? »

Chers « amis du frisson »,

Comme vous le savez peut-être – et si vous ne le savez pas, je vais vous l'apprendre –, nous, les chauves-souris, avons un sens de l'orientation exceptionnel. En d'autres termes, il ne nous arrive jamais de « perdre le nord ». Que signifie cette expression ? Eh bien, perdre son chemin, ne plus savoir dans quel sens aller.

Cela ne m'est jamais arrivé. Même après avoir exécuté un looping, le numéro acrobatique le plus difficile qui soit pour une chauve-souris, je n'ai jamais confondu mes pattes avec mes ailes ! Bref, nous autres « nobles voltigeurs de la nuit » (elle vous plaît, celle-là ?) n'avons pas besoin de boussole, tout simplement parce que nous en avons déjà une dans notre citrouille, qui fonctionne parfaitement !

Si toutefois l'un de nous tombe à la fois sur la chauve-souris la plus gracieuse du monde et la boussole la plus déglinguée des sept mers, ne vous étonnez pas qu'il soit désorienté !

C'est exactement ce que j'ai ressenti lorsque je suis parti en mer avec les enfants Silver : ils m'ont embarqué dans une aventure super-effrayante, et pour la première fois… j'ai perdu le nord !

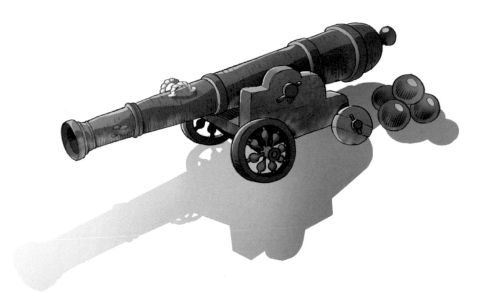

1
DES VERS
À LA MENTHE

e train était pile à l'heure.

Plus que quinze minutes et nous serions… à la mer !

À vrai dire, je n'avais jamais vu la mer, pas plus que je n'avais encore emprunté les chemins de fer. Et pour être tout à fait franc, c'était aussi la première fois que je voyageais, à part pour aller de la vieille bibliothèque où j'avais grandi au cimetière de Fogville.

Pourquoi, dès lors, me trouvais-je là en compagnie des enfants Silver ? C'est simple : l'oncle Charlie, un frère de madame Silver,

les avait invités à passer une semaine chez lui.

Martin et Léo en avaient sauté de joie, mais Rébecca avait aussitôt précisé :

– Si Bat ne vient pas, je ne bouge pas de la maison !

Délicieuse petite !

Si j'avais su dans quel pétrin j'allais me fourrer, peut-être aurais-je *moi-même* refusé d'y aller.

– Je ne sais plus du tout à quoi ressemble notre oncle, observa Rébecca.

– Moi si ! s'exclama Léo, tout en se gavant de « vers à la menthe », les sucreries vertes et col-

lantes qu'il avait achetées avant de partir. Il n'a qu'un œil au milieu du front et une énorme bouche, d'où s'écoule un filet de bave jaunâtre !

– De la ba-bave jaunâtre ? demandai-je, apeuré.

– Ne l'écoute pas, Bat ! intervint Martin. L'oncle Charlie est très sympathique. Disons qu'il est juste un peu... original !

– Comment ça ?

– Il se moque de ce que les gens pensent de lui. Et il est irrépressiblement attiré par les vieilles choses. Dès que tu verras sa maison, tu comprendras...

Je décidai de m'en tenir là. Pour me réconforter, Léo me tendit son sachet.

– Tu veux un ver, Bat ? Ils sont délicieux !

– Non, merci ! Je préfère mes moucherons…

Quelques minutes plus tard, nous descendîmes à la modeste gare de Portwind.

Je compris au premier regard ce que les enfants entendaient par « original » : un grand homme maigre, équipé d'un casque et de lunettes d'aviateur et arborant de fringantes moustaches carotte au-dessous d'un nez aquilin, nous attendait à côté d'une voiture ancienne, couleur jaune-marron.

Dès qu'il nous vit, il courut à notre rencontre, les bras grands ouverts.

– Bienvenue au pays des marins ! s'écria-t-il. Comment s'est passée la traversée ? Pas trop chahutés par le vent du nord ?

Sans même attendre notre réponse, il balança nos bagages dans le coffre et nous fit signe de monter. Lorsqu'il alluma le moteur, nous fûmes submergés par un nuage de fumée noire.

– Bonne vieille Tripper ! lâcha-t-il avec reconnaissance pendant que nous toussions. À quatre-vingt-quatre ans, c'est un vrai bijou ! Barre à tribord !

Crachotant comme une cafetière, cette antiquité roulante monta en puissance jusqu'à atteindre la vitesse ébouriffante de... 45 kilomètres-heure !

– Ça donne le frisson, non ? hurla l'oncle Charlie en se tournant vers nous.

C'est alors qu'il m'aperçut.

– C'est qui celui-là ? demanda-t-il en me fixant, sans toutefois renoncer à conduire.

– C'est ma chauve-souris ! répondit Rébecca. Il s'appelle Bat Pat et c'est un écrivain !

– Tu ferais mieux de regarder la route, tonton ! recommanda Martin.

– Pardon ? Ah oui, bonne idée ! fit l'oncle Charlie en évitant juste à temps un gros platane.

Léo blêmit.

– Un écrivain, tu dis ? reprit son oncle.

– Oui, et il parle aussi…

– Attention au virage, tonton ! le prévint de nouveau Martin.

– Un virage ? Où ça ? cria-t-il en s'écartant miraculeusement du bas-côté.

Léo était devenu blanc comme une mozzarella.

– À Portwind, vous trouverez beaucoup d'idées pour vos histoires, monsieur Bat ! m'assura l'oncle Charlie en m'observant, encore une fois, à la place de la route.

– Gare au train, tonton !! hurla soudain Martin. Le traiiinnn !!!

– Quel train ? fit-il en se retournant aussitôt.

Une grosse locomotive s'approchait à toute allure d'un passage à niveau à la barrière remontée.

Je fermai les yeux, convaincu que ma dernière heure avait sonné. « Quel dommage de mourir ainsi ! pensai-je. J'aurais bien aimé voir la mer, rien qu'une fois… »

Lorsque je rouvris les yeux, nous nous trouvions, je ne sais par quel miracle, de l'autre côté des rails, tandis que le train s'éloignait en vrombissant. Léo, penché à la fenêtre, vomissait tous ses bonbons verdâtres.

Le vieux tacot attaqua une petite côte et, quand nous arrivâmes en haut, le plus merveilleux des spectacles que j'aie jamais vus se déploya devant mes yeux : un immense tapis bleu, agrémenté de-ci de-là de tortillons blancs, s'étendait à perte de vue, scintillant sous le soleil. Waouh !

– C'est ça, la mer ? demandai-je avec émotion.

– Absolument, monsieur Bat ! Et là-bas, ajouta l'oncle Charlie, il y a… ma maison !

2
DE BIEN SINISTRES
LÉGENDES

a maison de l'oncle Charlie était encore pire que sa voiture. C'était une vieille demeure en pierre, dominée par une petite tour au toit pointu qu'un architecte facétieux s'était amusé à construire tout près de la falaise.

– Bienvenue à bord de mon humble rafiot ! s'exclama l'heureux propriétaire en jetant en l'air casque et lunettes. Faites attention aux marches, elles tirent à droite !

Les enfants s'engagèrent avec leurs bagages

dans un escalier en colimaçon si étroit qu'ils s'y retrouvèrent rapidement coincés.

Quant à moi, j'utilisai l'« ascenseur », c'est-à-dire mes ailes, qui en deux battements me portèrent au premier étage. J'y découvris une pièce qui faisait penser tantôt à la salle d'un musée de la mer, tantôt à une remise pleine d'objets au rebut. Il y avait des lampes à pétrole, des piles de vieux livres, des masques de bois peints, des gouvernails, des modèles réduits de navires anciens, les drapeaux de vaisseaux disparus et, enfin, un crâne aux yeux phosphorescents.

– C'est co-coquet chez vous ! murmurai-je poliment.

– Merci, monsieur Bat ! répondit l'oncle Charlie en attaquant les marches menant au second. Courage, les enfants, votre chambre est tout en haut de la tour !

– Le rêve... souffla sarcastiquement Léo, le ventre comprimé contre la rampe d'escalier.

Une fois arrivé, il dut toutefois reconnaître

que le panorama valait le risque d'infarctus de la montée.

– Qu'est-ce que c'est, tonton ? demanda Martin en désignant une terre proche, nimbée d'un épais voile de brume. On dirait une île…

– C'en est bien une, mon garçon, répondit son oncle. Mais peut-être vaut-il mieux descendre, à présent… Vous n'avez pas faim ?

– Moi, si ! répliqua Léo, enthousiaste.

– Est-elle toujours plongée dans le brouillard, comme maintenant ? insista Martin.

– Quoi donc ? Ah, l'île ! Ma foi, oui. Tu sais, il existe d'étranges légendes à son

propos… Mais si vous m'accompagnez à la cuisine, je vous offrirai un bon goûter. Qui est partant ?

– MOI !!! cria Léo en sautant à pieds joints.

– Attends, tu n'as pas envie d'en savoir plus sur ces histoires ? s'étonna son frère.

– Oh que si ! répliqua-t-il. C'est mon estomac qui n'est pas intéressé.

– Ne fais pas attention à lui, tonton, et raconte-nous… implora Rébecca.

– Ce ne sont que des bêtises. On dit que l'île est habitée par une bande de pirates fantômes !

– Fantastique ! se réjouit Martin.

– Quelle horreur ! marmonnai-je.

– Jadis, leur bateau s'échoua contre ces rochers, et on raconte qu'une malédiction s'abattit à la fois sur eux et sur l'île. Ce serait pour cette raison qu'elle semble toujours perdue dans la brume. Ridicule, non ? Alors, vous avez faim ou non ?

– Cette légende m'a coupé l'appétit… se lamenta Léo.

– Sait-on en quoi… euh, consiste cette malédiction ? demandai-je.

– Oh, les versions ne manquent pas, mais ce ne sont que des balivernes…

– Tu y es déjà allé, tonton ? le harcela Martin, au comble de l'excitation.

– J'avoue que j'y ai pensé souvent. Tu connais ma passion pour les vieilles histoires de marins ! Mais je préférerais ne pas m'y rendre seul et je n'ai jamais trouvé quiconque pour m'y emmener : les gens ont trop peur de l'île de la Tête de mort !

Un silence pesant envahit la pièce.

– C'est… son nom ? s'enquit Léo, redevenu couleur mozzarella.

– Oui, mon garçon.

– Et pourquoi s'appelle-t-elle ainsi ? l'interrogeai-je.

– Parce que sa forme rappelle celle d'un crâne, d'après les rares courageux qui s'y sont aventurés, expliqua l'oncle Charlie. Alors, ma petite collation, vous en voulez finalement ?

– Franchement, je n'ai plus du tout faim, observa Léo, mais peut-être qu'une bouchée sucrée me ferait quand même du bien.

– Je n'ai rien de tel : nous autres gens de la mer ne mangeons que du poisson !

3
UN MARIN
UNIJAMBISTE

u poisson au goûter ? Ainsi qu'au petit déjeuner, au déjeuner et au dîner ? Ça frise le cauchemar !

Les chauves-souris n'aiment pas le poisson ; en tout cas, moi, je préfère les moucherons !

Le lendemain matin, l'oncle Charlie nous tira du lit à l'aube en criant :

– Sur le pont ! Tous sur le pont !

– Mais quelle heure est-il ? demanda Léo en bâillant comme un hippopotame.

– Il est 6 h 30, répondit Rébecca, déjà habillée. Bougez-vous, mollassons !

Des allumettes m'auraient été bien utiles pour m'aider à garder les yeux ouverts ! Quand les humains comprendront-ils donc que les chauves-souris sont des animaux nocturnes ?

– Aujourd'hui est jour de marché ! Les premiers arrivés seront les premiers servis ! déclara l'oncle Charlie en déposant deux rougets frits sous mon nez.

Nous mangeâmes tous très peu, excepté Léo, qui vida son assiette en marmonnant :

– Exceptionnel ! Gloups ! Miam ! Vraiment étonnant ! Slurp !

Une fois à bord de la Tripper, je me rendormis. Lorsque je me réveillai, tout près des étals du marché, je fus submergé par l'habituelle mauvaise odeur du poisson !

– Par là, moussaillons, je dois d'abord passer voir un vieil ami ! claironna l'oncle Charlie en se frayant un passage à travers la foule.

Il entra dans une petite boutique, *Au timonier bigleux*, qui vendait toutes sortes d'antiquités liées à la mer. Dans la vitrine, je vis aussi une chauve-souris empaillée !

Léo ne manqua pas de me lancer l'une de ses bonnes blagues :

– Regarde ça, Bat : le secret de l'éternelle jeunesse !

L'oncle Charlie nous présenta alors l'antiquaire :

– Jeunes gens, voici mon ami Cornélius Chips. C'est le meilleur marin de Portwind ! Et eux, Cornélius, ce sont mes neveux : Martin, Léo et Rébecca. Quant à celui qui se cache, c'est Bat Pat, leur chauve-souris.

– Encore vivante ? s'émerveilla le vieil homme. Vous n'avez jamais pensé à la faire embaumer ?

Tous se mirent à rire, sauf moi.

– Faites donc le tour de la boutique, les enfants, proposa l'oncle Charlie.

Les jeunes Silver se mirent à déambuler au milieu d'étagères remplies de bric-à-brac, tandis que je voletais non loin d'eux, mais à distance respectable du vieux marin.

– Eh, regardez ça ! s'exclama Martin en soufflant sur un gros livre pour disperser la poussière

qui le recouvrait. *Les Plus Obscures Légendes de la mer*, par Edgar Allan Polaire !

Cornélius Chips s'approcha en se frottant les mains.

– Avec ça, vous pourrez résoudre l'énigme de l'île de la Tête de mort ! Ha, ha, ha ! Votre oncle ne vous en a pas encore parlé ?

– Il a évoqué une légende… répondit Martin.

– Comment ? Il vous a présenté ça comme du folklore ? Mais, Charlie…

– Cornélius, ne leur bourre pas le crâne avec ces sornettes ! se défendit son ami. Les enfants d'aujourd'hui sont impressionnables, tu sais…

« On voit qu'il ne connaît pas la bande des Silver ! » pensai-je.

Achetant le livre pour Martin, l'oncle Charlie entreprit ensuite d'offrir quelque chose à chacun de nous. Même à moi ! Je choisis une magnifique plume d'oie pour rédiger mon œuvre littéraire, pendant que Rébecca dénichait un pendentif en forme de tortue. Enfin, Cornélius

Chips indiqua à Léo, qui ne parvenait pas à se décider, une vieille boussole encadrée de buis.

— Mais l'aiguille est tordue ! ronchonna le garçon en la regardant.

L'antiquaire rétorqua sur un ton mystérieux :

— En effet, mais lorsqu'il s'agit de trouver un endroit secret, il arrive que les points cardinaux ne suffisent pas.

Léo sourit sans comprendre, mais garda l'instrument.

— Sympathique, ce bonhomme ! commenta Léo dès que nous fûmes dans la rue. Qu'est-il arrivé à sa jambe ?

– Il a eu une discussion trop animée avec un requin, répondit l'oncle Charlie.

– Tu veux dire qu'un squale lui a boulotté la...

– Eh oui ! On mange les poissons, et de temps en temps ce sont eux qui nous mangent ! Amusant, non ? observa le tonton.

– À mourir de rire ! estima Léo avec une grimace.

– Sur ce, suivez-moi, moussaillons, le poisson frais n'attend pas ! conclut l'oncle Charlie en se dirigeant vers la Tripper.

4

ÇA SENT LES ENNUIS !

ous rentrâmes à la maison pour le déjeuner.

– Et maintenant, je ne veux pas être dérangé ! annonça le maître des lieux en s'enfermant dans sa cuisine. Ma soupe de poisson exige la plus grande concentration !

Nous en profitâmes pour nous détendre : moi suspendu au lustre du salon et les enfants étendus sur le canapé.

Martin se mit à feuilleter son livre.

Je venais tout juste de fermer les yeux, lorsque je l'entendis crier :

– Eh, venez voir !

Nous nous rapprochâmes. Des pages du livre de Martin avait glissé un vieux parchemin, sur lequel était représentée une île rocheuse en forme de crâne humain. On y distinguait une énorme grotte abritant un ancien trois-mâts à moitié détruit. Tout en bas figuraient quelques lettres, à peine lisibles : *L'î.e de l. T.t. d. m.rt*

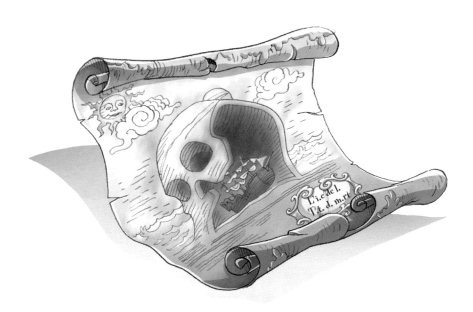

– L'île de la Tête de mort ! lançai-je.

– Bingo ! confirma Martin. Mais qu'est-ce que cette vieille carte fait dans mon livre ?

– Moi, ça ne me plaît pas du tout… bougonna Léo.

– La soupe de poisson ? ironisa son frère en repliant la carte.

– Non, cette histoire. Ça sent les ennuis à plein nez…

La soupe mijotée par l'oncle Charlie, en revanche, dégageait une délicieuse odeur. Était-ce l'effet de l'air marin ?… j'en repris une assiette ! Et Léo, cinq…

– Incomparable ! Miam ! Gloups ! Vraiment divine ! Slurp ! ne pouvait-il s'empêcher de commenter.

Nous aidâmes à faire la vaisselle, puis montâmes nous reposer dans la chambre.

Je pus enfin me suspendre au plafond et regarder le monde à l'endroit, à savoir… tête en bas !

Rébecca essaya son nouveau pendentif, Martin se plongea dans la lecture du livre d'Edgar Allan Polaire, pendant que Léo tapotait sa boussole en essayant, vainement, de faire bouger l'aiguille. J'allais sombrer au pays des rêves, quand Martin s'écria :

– Tout est donc vrai !

– Quoi ? Qu'est-ce qui est… vrai ? demandai-je en écarquillant les yeux.

– La légende que nous a racontée tonton. Écoutez ça : « An de grâce 1666. La nuit du 17 avril, au large de l'île de la Tête de mort, face à Portwind, croisait *L'Abîmé*, le vaisseau du très redouté pirate Dentdor. S'orientant à partir d'une carte obscure, le capitaine recherchait un mystérieux trésor, caché au cœur de ces eaux menaçantes… »

À part la mention de la carte et du trésor, ce récit recoupait ce que nous avait dit l'oncle Charlie : le navire avait bel et bien fait naufrage et personne n'avait jamais su ce qu'était devenu son équipage !

– Par le radar de mon grand-père ! m'exclamai-je. Sacrée histoire !

– Excuse-moi, monsieur « Je sais tout », mais qu'est-ce qui nous dit que tout ça est véridique ? demanda Léo, un brin inquiet.

Martin le regarda droit dans les yeux.

– Le grand, le sublime Edgar Allan Polaire ne mène *jamais* ses lecteurs en bateau !

– Pff... Il n'y a pas de quoi en faire un plat... objecta son cadet, de plus en plus nerveux.

– Admettons que le livre dise juste, intervint Rébecca. Nous manquons quand même de preuves qui le démontrent.

– Il suffit d'aller les chercher, suggéra son grand frère.

Léo et moi nous regardâmes : plus aucun doute, ça sentait bel et bien le roussi !

– Ne me dites pas que vous avez l'intention...

– … d'aller sur l'île ? Si ! confirma Martin.

– Je le savais, soupira Léo, désespéré. On part à la mer pour se faire dorer la pilule, et, à la place, on se retrouve à courir derrière des fantômes ! Mais tu veux que je te rappelle ce qu'a dit l'oncle Charlie : tu ne trouveras personne pour t'emmener sur l'île !

– En fait, je connais quelqu'un qui pourra nous aider… rétorqua Martin en retirant ses lunettes embuées.

Léo et moi échangeâmes un autre regard affolé : « Lunettes embuées, ennuis assurés ! »

5
MORUE
ET BROUILLARD

qui pensait Martin ? À Cornélius Chips, évidemment !

Le lendemain matin, après un petit déjeuner de calamars grillés, l'oncle Charlie nous fournit l'occasion de retourner au village. Il se présenta habillé comme un Esquimau et annonça :

– Je suis invité à l'assemblée annuelle des Amis de l'Alaska et serai absent jusqu'à ce soir. Comme il fait beau, je pourrais vous conduire à la plage de Portwind. C'est un endroit très agréable pour passer la journée !

– Comment fera-t-on pour le déjeuner ? demanda anxieusement Léo.

– Ne vous inquiétez pas ! Je vous ai préparé un panier-*surprise*. Alors, on lève l'ancre, moussaillons ?

– Oui, levons l'ancre ! s'écrièrent les enfants Silver d'une même voix.

– Non, restons là… murmurai-je de mon côté – mais personne ne m'entendit.

Laissant Léo et Rébecca lézarder au soleil, Martin et moi retournâmes au *Timonier bigleux*.

Cornélius Chips clopina à notre rencontre.

– Salut, Martin ! Tu es seul, cette fois ?

– Euh, non, Bat Pat m'accompagne…

– Ah oui, la chauve-souris ! Tu sais que je viens juste de vendre mon spécimen empaillé ? Tu ne veux vraiment pas te faire naturaliser, toi ? m'interrogea l'antiquaire. Ce serait un honneur pour moi !

– Sans façons ! rétorquai-je, exaspéré.

– Comme tu préfères. Que puis-je faire pour vous ? s'enquit alors Cornélius Chips.

– Nous avons lu la légende de l'île de la Tête de mort... commença Martin.

– J'étais sûr qu'elle vous plairait... l'interrompit le vieux marin en joignant les mains.

– Plus que vous ne l'imaginez ! s'enthousiasma l'aîné des Silver. En fait, nous aimerions vérifier... si elle est vraie !

Cornélius Chips fixa attentivement mon jeune ami et sourit.

– Connaîtriez-vous quelqu'un qui pourrait nous emmener là-bas, un de ces jours ? poursuivit Martin. Par exemple... cet après-midi ?

Nous regagnâmes la plage. C'était l'heure du déjeuner et Léo avait déjà bondi sur le panier-surprise de l'oncle Charlie. Que contenait-il ? Une tarte salée à la morue et à la ricotta,

accompagnée d'un petit mot :
« Le poisson est plein de
phosphore, excellent pour le
cerveau ! »

À voir Léo dévorer le
plat, il ne faisait aucun
doute qu'il deviendrait
un génie !

Mais lorsqu'il apprit
que Martin avait
donné rendez-vous à
Cornélius Chips, il perdit
l'appétit, puis il se leva et se mit à protester. En
pure perte…

– Qu'est-ce qu'on va dire à tonton ? objecta-
t-il en une ultime tentative pour arrêter son frère.

– On lui expliquera que son vieux copain nous
a emmenés pêcher, dit Martin d'un ton rassurant.

Quand finalement notre canot quitta le port,
le soleil commençait à décliner.

Pendant le voyage, personne ne prononça

une parole. Et lorsque nous pénétrâmes dans le brouillard, chacun retint sa respiration.

Penché au-dessus de l'eau, Cornélius Chips manœuvrait précautionneusement. De temps à autre, il virait à droite ou à gauche pour éviter un écueil affleurant à peine que lui seul avait repéré.

– Comment fait-il ? demanda Léo dans un filet de voix.

– Il doit connaître ces eaux comme sa poche, murmura Rébecca.

– Ou alors il a volé son radar à la chauve-souris empaillée, lançai-je sur le ton de la plaisanterie.

Peu après, la brume se dissipa et nous pûmes contempler l'île. La tête de mort regardait vers le large, mais semblait pouvoir se tourner brusquement dans notre direction. Trouille. Mégatrouille !

Cornélius Chips aborda dans une petite anse.

– Gardez les yeux bien ouverts et ne vous

approchez pas du versant nord, nous prévint-il. Avant que la marée baisse, je vous appellerai avec ça ! conclut-il en soufflant dans un sifflet de quartier-maître, dont le son m'électrisa les oreilles.

– Vous ne venez pas avec nous ? demanda Rébecca.

– Ma jambe me l'interdit, et je ne tiens pas trop à errer dans les parages…

– C'est fou ce que j'y tiens, moi… soupira Léo.

Heureusement, le soleil était en train de se coucher et le « noble voltigeur de la nuit » que je suis (je vous l'ai déjà faite, celle-là ?) se sentirait désormais bien plus l'aise.

6

DEUX PETITS
YEUX JAUNES

ourtant, les choses ne se passè-
rent pas comme j'avais pu
l'imaginer. Dès que Martin
s'engagea sur l'étroit sentier
qui menait au sommet de l'île,
je sentis un froid glacial me
pénétrer jusqu'aux os : les
immenses roches sombres
ressemblaient à des géants
pétrifiés, et des touffes d'herbes visqueuses,
comme les cheveux d'une sorcière, nous effleu-
raient au passage.

À un moment, je crus apercevoir, au fond

d'une cavité obscure, deux petits yeux jaunes braqués sur moi.

– Regardez ! Une tortue ! s'écria Rébecca.

Elle tenta de s'approcher, mais la petite bête disparut.

Lorsque nous arrivâmes en haut, la vue de la mer, au-delà du brouillard, rétablit ma circulation sanguine.

Martin entreprit de dessiner une carte des lieux sur son carnet, tandis que Léo, voulant faire le courageux, s'éloignait d'une dizaine de pas. Au onzième, il revint vers nous en hurlant :

– Au secours ! Un monstre me suiiit !!!

Trouille. Mégatrouille ! Recouvert d'une épaisse carapace, le « monstre » avançait lentement vers nous.

– C'est la tortue de tout à l'heure ! s'exclama Rébecca. Léo, espèce d'idiot, tu l'as effrayée !

– Effrayée ? C'est elle qui a essayé de me mettre en pièces !

– Arrête de raconter des bêtises ! Tu vois bien

qu'elle est toute petite ! répliqua sa sœur en saisissant délicatement l'animal et en grattant son cou rugueux.

Ça m'ennuie de l'admettre, mais tous ces mamours faits à une parfaite étrangère me rendirent un peu jaloux !

— Je vais l'appeler Huguette ! Qu'en pensez-vous ?

— Je pense que quelque chose ne tourne pas rond, commenta Martin en examinant la tortue. Comment a-t-elle fait pour monter ici aussi vite ? Elle n'a certainement pas emprunté le sentier…

– Qu'est-ce que tu veux dire ? Qu'elle vole ? demanda Léo.

– Je veux dire qu'il doit y avoir un passage caché qui débouche par ici. Bat, que dirais-tu de…

– Pas question ! Je ne bouge pas ! fis-je.

– Peut-être que la tortue pourrait nous le dire… suggéra Rébecca.

– C'est sûr ! Une pipelette comme elle ! ricana Léo.

– Pas avec des mots, ballot ! rectifia sa sœur en reposant l'animal par terre. En avant, Huguette, fais-nous voir comment on redescend !

Croyez-le ou non, la tortue comprit immédiatement ! Elle se glissa dans une ouverture sombre et humide entre les rochers et nous la suivîmes en file indienne.

– Léo, la mégalampe torche ! réclama Martin.

– Ah, ah ! Quand vous êtes dans le pétrin jusqu'au cou, vous êtes bien contents que Léo et ses affaires soient là, pas vrai ?

On entendit un déclic et une forte lumière se fit.

–Je vous préviens, on n'en a que pour une demi-heure, ajouta-t-il.

Le passage devint soudain aussi étroit qu'un tuyau de poêle. Poursuivant son chemin, la tortue disparut à nos yeux.

–Fin de la promenade ! se réjouit Léo. Les visiteurs sont priés de faire marche arrière et de se montrer plus malins, la prochaine fois !

– Qu'est-ce qu'on fait ? voulut savoir Rébecca.

– Je connais quelqu'un qui pourrait continuer, s'il le voulait… fit Martin.

Je ne répondis pas tout de suite. D'abord parce que je n'étais guère pressé de décevoir mes amis, ensuite parce que mes oreilles avaient capté un son en provenance de l'obscur boyau.

– Chuttt ! intimai-je. Vous avez entendu ?

– C'est mon estomac qui gargouille, répondit Léo. Je n'ai pas bien digéré la morue…

– Mais non ! Ces sifflements ! On dirait…

– … des pirates ? demanda Léo, épouvanté.

– … des chauves-souris ! m'exclamai-je en me faufilant dans le passage.

7

UN DANSEUR PROFESSIONNEL

omme le disait toujours mon arrière-grand-père Wilhelm, « on reconnaît une chauve-souris avisée à son art de s'orienter dans le noir le plus épais » ! En effet, je dus faire appel à toute mon adresse pour voler dans ce goulot sans y laisser mes oreilles ! Je dépassai la tortue et débouchai dans une grotte grouillant de... mes semblables !

Une chauve-souris grassouillette m'étreignit joyeusement.

– Barthélemy !!! Nous t'attendions ! Je suis ton oncle Procope ! Bienvenue à l'anniversaire de ma fille !

– Euh, vous savez, je…

– Allez ! Viens saluer les autres ! dit-il en m'encourageant d'une tape sur l'épaule.

Entre les frères, les sœurs, les cousins, les neveux, les grands-parents et les arrière-grands-parents, je dus faire la bise à plus de deux cent cinquante proches que je ne connaissais pas…

– La reine du jour arrive tout de suite. Tu veux être son cavalier pour le premier tour de piste ? me demanda « oncle » Procope. Si je me souviens bien, tu es un excellent danseur.

J'étais sur le point de m'éclipser, lorsque plana jusqu'à nous la plus exquise créature que j'aie jamais vue. Je restai donc là, fixant cette apparition, bouche bée.

– Voici ma Lily ! Elle est mignonne, non ? commenta encore Procope en me décochant un coup de coude.

Par mille ultrasons ! Je n'aurais jamais cru que puisse exister un aussi joli minois !

– Chers amis, appela l'oncle Procope, Lily ouvrira le bal avec son cousin Barthélemy, qui vient juste de se poser parmi nous.

Sur ces mots, il me jeta dans les bras de sa fille sans plus de manières : elle avait des yeux d'un bleu profond comme la nuit !

– Salut, Barty ! murmura-t-elle. Tu as changé…

– Mademoiselle, bafouillai-je, je ne suis pas celui que vous croyez… et je dois aussi vous prévenir que je ne sais pas, euh, danser…

– Pour ça, tu es toujours le même : un sacré farceur !

Avant d'avoir eu le temps de

répliquer, je me retrouvai emporté par la danse. Finalement, ce n'était pas si difficile ! Grisé, j'exécutai même quelques acrobaties, qui me valurent les applaudissements du public.

– Comme d'habitude, tu es trop modeste ! observa Lily. Tu danses merveilleusement !

– Merci, mais je dois vous avouer une chose…

– Plus tard, Barty, car c'est l'heure pour moi de souffler les bougies. Et arrête de me vouvoyer !

L'oncle Procope m'obligea à manger trois parts de gâteau, puis à me faire swinguer avec quelques tantes bien en chair jusqu'à me faire perdre le souffle !

Lily finit par se rapprocher de nouveau.

– Alors, Barty, que voulais-tu me dire de si important ?

– Voyez-vous… euh, vois-tu… il se trouve que je ne m'appelle pas Barty. Mon nom est Bat Pat et je ne suis pas ton cousin !

– Bat Pat ? répéta-t-elle en battant de ses

longs cils. Tu es l'un des petits-fils de grand-père Casimir ?

– Je ne suis pas de votre famille ! Je suis arrivé ici en suivant une tortue…

– Huguette ?

– Comment l'appelles-tu ? la questionnai-je, interloqué.

Elle avait prononcé le même prénom que celui choisi par Rébecca. Invraisemblable, non !?

– Huguette ! Elle vit ici depuis une bonne centaine d'années et connaît tous les chemins souterrains de l'île. C'est elle qui nous a permis de découvrir cette grotte-ci et l'autre, la grande.

– La *grande* ?

– Oui, celle où gît l'épave du navire.

– Le trois-mâts de Dentdor ? Mais alors la légende est vraie !

– Évidemment ! Les gens disent que ce n'est qu'une histoire parce qu'on n'a jamais retrouvé le bateau. Mais nous, nous savons comment on entre dans la grotte et comment on en sort.

– Parce qu'il y a aussi une sortie ?

– Bien sûr. Une fois par an, le navire de Dentdor quitte la grotte pour reprendre la mer. Il dispose d'une nuit entière pour trouver le trésor qu'il cherchait lorsqu'il a fait naufrage. Jusqu'ici, il a toujours échoué, mais le jour où il réussira, la malédiction qui tient le capitaine et son équipage prisonniers de l'île se brisera. Les pirates pourront enfin s'en aller, le brouillard se dissipera et nous autres chauves-souris resterons les seuls habitants du lieu !

Je compris aussitôt qu'il me fallait saisir l'occasion au vol.

– Si tu veux bien me montrer l'entrée de la

grande grotte, mes amis humains et moi vous aiderons à vous libérer de la présence de ces flibustiers fantômes.

– Tes amis humains ? s'alarma-t-elle.

– Ce sont trois personnes bien particulières ! Crois-moi, ils ne vous feront aucun mal !

Elle me fixa de ses grands yeux bleus.

– D'accord, donne-moi la main, dit-elle.

J'allais même lui donner le bras tout entier, lorsqu'un son aigu m'arrêta : le sifflet de Cornélius Chips !

– Mes amis m'appellent, je dois y aller ! annonçai-je à contrecœur. Mais je reviendrai demain et nous irons ensemble à la grande grotte.

– J'y compte bien, répliqua-t-elle. Même si tu n'es pas mon cousin, tu m'es... très sympathique !

– Toi aussi ! m'exclamai-je avec conviction.

Puis je filai en évitant l'oncle Procope.

Dehors, il faisait nuit noire. Heureusement, les enfants Silver ne s'étaient pas beaucoup éloignés.

– Où étais-tu fourré ? On s'est inquiétés, me gronda Rébecca.

– Et maintenant la mégalampe torche est à plat ! ajouta Léo.

– J'ai d'importantes nouvelles ! plaidai-je.

– Excellent, mais il faut partir, sinon Cornélius nous plantera là, m'interrompit Martin.

Lorsque nous accostâmes le ponton qui se trouvait au bas de la maison de l'oncle Charlie, nous saluâmes Cornélius Chips et grimpâmes aussitôt l'escalier en colimaçon de la tour. À peine étions-nous arrivés dans la chambre que Martin me lança :

– Bat, tu as dit que tu avais d'« importantes nouvelles ». Annonce la couleur !

– J'ai rencontré une chauve-souris merveilleuse !

– Bat est amoureux ! Bat est amoureux ! se mit à claironner Léo.

– C'est tout ?

– Non, ce n'est que le début… répliquai-je.

Je leur racontai alors qu'il y avait deux grottes et ce qu'il y avait dedans, les détails de la malédiction et le rendez-vous pris avec Lily pour le lendemain.

– On vient avec toi, trancha Martin.

– Ben voyons ! fit Léo en levant les yeux au ciel.

– Du moment qu'on ne cause pas d'ennuis à mes amis chauves-souris et surtout à… Lily, commentai-je.

– Bat est amoureux ! Bat est amoureux ! chantonna de nouveau Léo.

– Je m'occupe de tout, me proposa opportunément Martin.

Le soir même, au dîner, il mit son plan à exécution.

– Oncle Charlie, on aimerait beaucoup aller faire un tour dans l'île de la Tête de mort. Tu penses que tu pourrais nous y emmener avec ta barque, demain ? demanda-t-il.

– Impossible ! Demain, je dois aller au congrès annuel des Loups de mer. Et je vous ai déjà dit que ce n'est pas le genre d'endroit où faire une excursion. Je rentrerai très tard. À propos, il y a dans le réfrigérateur tout le poisson que vous voudrez.

– Fantastique, merci ! répondit poliment Martin.

– Quelqu'un veut encore un peu de merlan sauce réglisse ? s'enquit l'oncle Charlie.

– Moi ! s'exclama aussitôt Léo en levant sa fourchette. Je le trouve exceptionnel ! Miam !

Slurp ! Tout à fait unique !
Gloups !

Le lendemain matin, l'oncle
Charlie apparut vêtu d'un uniforme d'amiral. On aurait dit le
fruit des amours d'un perroquet et
d'une carotte géante ! Il nous for-
mula ses dernières recommanda-
tions, puis partit pour son congrès.

Lorsque nous nous retrouvâmes
seuls, je songeai : « Et maintenant,
voyons ce que va faire Martin ! Je
parie qu'il va se précipiter vers le
ponton au bas de la maison ! »

Gagné ! Martin descendit jusqu'au petit embarcadère, monta
sur la barque de l'oncle
Charlie et contrôla le réser-
voir d'essence. Avant la
fin de la journée, je
reverrais Lily !

8

VOLTIGE
À QUATRE AILES

artin dirigea la barque comme un marin aguerri.

Lorsque nous pénétrâmes dans le brouillard, il me dit :

– Va te mettre à la proue, Bat ! On va avoir besoin de ton radar !

Pas bête, ce garçon ! Qui peut voir au-delà de la brume mieux qu'un « noble voltigeur de la nuit » (décidément, elle me plaît, celle-là !) ?

Quand nous accostâmes, Léo baisa le sol, puis m'étreignit en s'exclamant :

– Je suis encore vivant !

Quant à Rébecca, elle se mit à produire des bruits effrayants.

– Tu te sens mal ? m'inquiétai-je.

– Je lui avais bien dit de me laisser finir son poisson ! commenta Léo.

– Taisez-vous ! J'essaie d'appeler Huguette, répliqua sa sœur, exaspérée, en reprenant ses grognements et gargouillis.

Croyez-le si vous voulez : un instant plus tard, l'animal pointa le nez d'entre les rochers, cligna de ses petits yeux jaunes et nous conduisit jusqu'à l'entrée secrète de la grotte.

– C'est de nouveau à toi de jouer, Bat ! m'encouragea Martin lorsque le passage se rétrécit.

Je me faufilai dans le boyau et rejoignis la grotte des chauves-souris.

– Barthélemy ! s'écria l'oncle Procope. Tu es revenu voir ta famille ! Ou bien est-ce que tu viens retrouver une personne en particulier, hein, mon coquin ?

Et de me reflanquer un coup de coude !

Heureusement, Lily arriva aussitôt.

– Salut, Bat, euh… Barty ! Tu as tenu parole ! J'ai dit à papa que tu aimerais revoir la grande grotte et il est d'accord pour qu'on y aille, pas vrai, papounet ?

– Certainement, ma fille, mais sois prudente, répondit Procope.

Se tournant vers moi, il ajouta :

– Barty, tu te rappelles quand, tout petits, vous alliez vous y amuser ensemble ?

– Euh… oui, très bien ! répondis-je en jouant le jeu.

– Tu as failli t'y noyer au moins six ou sept fois !

– Vraiment ? demandai-je, terrorisé.

Lily ne me laissa pas le temps d'en apprendre davantage : elle s'élança en piqué vers une ouverture qui fendait la roche. En plus d'être très mignonne, elle était très téméraire !

– À mon signal, cria-t-elle en saisissant ma

main, tu devras virer et relever le cap, sinon tu finiras dans l'eau, d'accord ?

– En... entendu ! bredouillai-je en essayant de me souvenir des leçons de vol que m'avait données mon cousin Aile-Filante, membre de la patrouille acrobatique des chauves-souris.

Nous traversâmes une brèche étroite et, à son signal, décrivîmes dans les airs un parfait demi-cercle !

– Waouh ! lançai-je en foulant de nouveau le sable. À nous deux, nous faisons la paire !

Rougissant, elle changea de sujet :

– Nous voici arrivés !

C'est alors que je pris conscience de me trouver à l'intérieur d'une gigantesque grotte, au centre de laquelle gisait, couché sur le flanc, un immense vaisseau délabré : *L'Abîmé* de Dentdor !

Vous imaginez le cocktail d'émotions qui agita mon petit cœur ! La clef du mystère, icibas ; les enfants Silver, là-haut ; Lily à mes côtés et… un bruit d'eau ruisselante qui m'empêchait de réfléchir ! Pourtant, il fallait agir !

– D'où vient ce bruissement ?

– De là-bas, répondit Lily en désignant une ouverture circulaire derrière laquelle se profilait une chute d'eau. Tu as vu, au-delà de la cascade, on aperçoit la lune !

– Tu veux dire que c'est par là qu'on sort ? demandai-je en regardant vers le ciel.

– Oui, cet orifice est l'œil gauche du crâne. Quand, à marée haute, l'eau inonde la grotte, le navire remonte jusqu'au niveau du trou. Dentdor et son équipage le font alors passer au travers, puis ils prennent le large.

– Il faut absolument que j'en informe mes amis ! Comment puis-je les faire venir ici ?

– Il n'existe qu'un moyen, mais il est très dangereux : ils doivent descendre en rappel par le versant extérieur nord et entrer par l'œil du crâne !

– Par mille ultrasons, c'est impossible !

– Si je vous aide, peut-être pas…

Lorsque Léo me vit arriver en compagnie de Lily, il commença à se moquer de moi, mais lorsque j'expliquai que le seul moyen de voir le navire de Dentdor était littéralement « casse-cou », il blêmit et tenta de filer.

– Ce n'est pas une stupide paroi verticale qui va nous arrêter ! s'enthousiasma au contraire Martin en ficelant son frère comme un saucisson.

– Il y a aussi la cascade ! gémit celui-ci.

– On se mouillera un peu, voilà tout ! répliqua Martin en encordant sa sœur, ainsi que lui-même.

– Et les pirates fantômes ! hurla Léo.

– On est là pour eux, non ? rappela solennellement Martin, mettant fin à la discussion.

Une fois l'extrémité de la corde attachée à un rocher, il attaqua la descente de la falaise, sous mes yeux terrorisés.

9

VRAIS
ET FAUX PIRATES

râce aux instructions de Lily et à mes encouragements, les enfants Silver atteignirent miraculeusement l'orbite gauche du crâne.

Il ne leur restait plus qu'à traverser la cascade.

– Suivez-nous ! leur dit Lily.

Sans préavis, elle attrapa ma main et m'entraîna sous la « douche ». Nom d'un moucheron ! Nous, les chauves-souris, détestons l'eau !

Et nous nous retrouvâmes tous de l'autre côté, toussant et crachotant.

Lily indiqua un gros trou en contrebas.

– C'est une sorte de toboggan. Il suffit de s'y laisser glisser. Comme ça !

Et, là encore sans me prévenir, elle m'y poussa et s'y lança à ma suite.

Alors que je glissai ainsi vers l'inconnu, j'entendis le rire de Lily et les cris de Léo. Finalement, nous échouâmes, sains et saufs, dans une grande flaque d'eau bleue.

– D'abord les jeux d'eau, ensuite le toboggan ! Si c'est un parc de loisirs, je ne le trouve pas amusant du tout ! protesta Léo, les cheveux plaqués sur le front.

– Retourne-toi, lui conseilla Rébecca, il y a une autre surprise…

Son frère pivota lentement et se retrouva face à *L'Abîmé*. Le navire n'était plus couché, mais flottait à la verticale !

– C'est… c'est le trois-mâts de Dentdor ? bredouilla-t-il.

Lily opina de la tête.

— Tu crois qu'on peut aller y jeter un coup d'œil ? demanda Martin à mon amie.

— Si ça ne vous fait pas peur…

— Nous, peur ?! lâcha Léo avec un petit rire hystérique. On adore risquer notre peau ! Et qui dit « parc de loisirs » dit « bateau pirate », non ?! Lorsqu'il nous vit monter à bord, il fut bien obligé de suivre.

Les planches du pont grinçaient d'une manière inquiétante.

– Allez, Martin, maintenant que tu as vu le bateau, on peut partir ! reprit Léo. Martin ? Martin, où es-tu ?

Un cri à l'arrière nous fit sursauter.

– Tous les hommes à leur poste ! Levez l'ancre !

Tremblant de tous mes membres, je me retournai, convaincu de me retrouver nez à nez avec Dentdor, lorsque je découvris un Martin rayonnant dans son uniforme de flibustier. Arborant une épée au ceinturon, il tenait la barre.

– Où as-tu déniché ce costume ? voulut savoir Rébecca.

– Il y en a une caisse entière dans la cabine du capitaine ! Allez vous servir, bande de froussards !

Martin nous persuada de tous nous déguiser et poursuivit son exploration. Bientôt, Rébecca ressembla à un véritable pirate et Léo au cuisinier de bord ; quant à moi, on m'avait affublé d'un bandana.

Lily, elle, était restée assise sur la rambarde. Elle regardait vers l'extérieur d'un air préoccupé.

– Que se passe-t-il ? lui demandai-je.

– Quelque chose ne tourne pas rond. Le niveau de l'eau est en train de monter. Il serait peut-être plus prudent de s'en aller.

À ce moment, Martin réapparut sur le pont, tenant à la main un morceau de papier jauni.

– Visez un peu ce que j'ai trouvé !

Il s'agissait d'une feuille à moitié déchirée, sur laquelle on pouvait lire quelques mots au sens obscur :

Suis l'abîmé
à la flèche torse
Cherche tout au fond
là où elle te l'indiquera,

– On dirait une devinette ! observa Rébecca.

– En effet… confirma Martin. Mais à quoi fait-elle référence ?

– À mon navire ! répondit une voix derrière nous.

Lentement, nous fîmes volte-face : la silhouette translucide d'un véritable pirate tenait maintenant la roue du gouvernail. Dans sa bouche édentée brillait une unique incisive dorée. Autour de lui, une vingtaine d'hommes,

armés jusqu'aux dents, nous fixaient, mena-
çants.

Nous retînmes notre souffle face à l'apparition de Dentdor et de son équipage !

– Si ça ne te fait rien, ça m'appartient !
gronda le capitaine en arrachant le parchemin
des mains de Martin, qui le dévisageait, médusé.

– Regarde, Bat ! chuchota Lily en me mon-
trant l'eau qui envahissait rapidement la grotte.

– Nom d'un moucheron ! m'écriai-je. Tu veux
dire que…

– … que c'est la nuit des pirates fantômes,
oui !

– Tous les hommes à leur poste ! hurla
Dentdor. Levez l'ancre !

L'Abîmé s'apprêtait à reprendre le large, mais,
cette fois, avec nous à son bord.

10

UN MARTIN PÊCHEUR

igotez ces intrus ! ordonna le capitaine. Quand nous serons au large, je les donnerai en pâture aux poissons ! Ha, ha, ha !

Lily et moi volâmes jusqu'au sommet du grand mât, pendant que mes amis prenaient leurs jambes à leur cou, poursuivis par les ombres ricanantes des pirates. Léo n'avait sans doute jamais couru aussi vite de toute sa vie, et Rébecca réussit, elle, à lancer quelques coups de pied à droite et à gauche.

– Il faut **vite** intervenir ou tes amis finiront mal, me dit Lily.

Je regardai en bas : se grattant le menton, Dentdor examinait sa « devinette ».

Soudain, je me rappelai ce que disait toujours ma cousine Esmeralda : « Une frousse exceptionnelle fait voler à tire-d'aile ! » Ma terreur ayant atteint un niveau stratosphérique, j'étais certainement devenu rapide comme le vent. Je me lançai en piqué et, avant même que le capitaine ait eu le temps de me voir, je lui subtilisai la feuille des mains.

– Bravo, Bat ! cria Lily en battant de ses jolies menottes.

Tous les hommes de la bande levèrent les yeux vers moi.

– Attrapez cette souris volante ! glapit leur chef.

–Oui, mais comment? demanda un petit homme au crâne rasé. C'est qu'elle vole !

Rébecca, qui avait compris le sens de ma manœuvre, interpella Dentdor :

–Si vous voulez récupérer le parchemin, vous devez nous laisser partir !

–Excellente suggestion ! approuva Léo.

–En fait, non, corrigea Martin, vous devez nous emmener avec vous !

–Exécrable suggestion ! protesta Léo.

–Pour faire quoi ? Une promenade romantique au clair de lune ? demanda le capitaine.

Les pirates se tordirent de rire.

– Nous pourrions vous être très utiles.

– Comment ? En épluchant les patates ? reprit Dentdor.

Nouvel éclat de rire général.

– Par exemple, en vous conseillant un bon dentiste… tenta Léo pour se montrer aimable – mais le flibustier lui renvoya un regard mauvais.

– Ou plutôt en vous aidant à retrouver votre trésor… suggéra Rébecca.

– On peut essayer de résoudre l'énigme inscrite sur ce papier ! précisa Martin, suscitant soudain un grand silence.

Le capitaine réfléchit à voix haute :

– Mmmh, ces garnements ne voudraient pas, par hasard, une part du trésor ? Si on peut parler de trésor… On le cherche depuis quatre siècles, et on rentre toujours les mains vides. Tout bien pesé…

Comprenant que leur chef était près de céder, les hommes de l'équipage donnèrent à leur tour leur avis :

– Moi, je suis pour les emmener avec nous : ils ont l'air dégourdi !

– Surtout celui avec les lunettes !

– La demoiselle aux cheveux roux semble débrouillarde aussi !

– Et ce solide gaillard, il compte pour du beurre ? Il vient juste de m'offrir une barre de chocolat !

– Eh, vous oubliez la chauve-souris ! Elle s'est montrée très courageuse, tout à l'heure !

Dentdor, à bout de patience, les interrompit :

– D'accord ! Ils restent avec nous !

Dans la grotte résonna un triple « Hourra ! ».

– Bat, tu peux rendre le parchemin au capitaine, maintenant, dit Rébecca.

Je voltigeai dans sa direction. Mais alors que j'approchai du pont survint un fâcheux incident : une bourrasque emporta la feuille et la fit tomber dans l'eau !

Tous se précipitèrent vers la rambarde, mais personne ne plongea.

– Courage, boucaniers ! cria ma jeune amie. Quelqu'un doit aller la repêcher avant qu'elle s'enfonce !

Nul ne bougea. L'un contemplait ses pieds, l'autre sifflotait, un troisième se curait les ongles avec un couteau.

– Qu'est-ce qui vous prend ? insista Rébecca. Vous êtes des marins, oui ou non ?

– Ben, oui, répondit Dentdor en gardant les yeux baissés, mais aucun pirate qui se respecte ne sait nager. C'est la tradition.

– Tu parles d'une tradition ! lâcha Martin en sautant sur le bastingage.

Il plongea et, au bout de deux brassées, récupéra le parchemin, puis remonta sur le navire, le tout en un clin d'œil !

Il lança alors au capitaine, qui le regardait, bouche bée :

– À présent, on peut lever l'ancre !

11
SORTEZ
VOS MOUCHOIRS

Abîmé passa sous la cascade et quitta la grotte. Pour la première fois, je vis l'île de face : elle avait bel et bien la forme d'un crâne !

La mer était plutôt agitée, tout comme mon estomac.

– Vers où faisons-nous route, capitaine ? demanda le timonier.

– Suivons la proue du navire, comme toujours.

– La proue ? Pourquoi ça ? s'enquit Léo, déjà sur le point de vomir.

– Parce que c'est ce qu'indique l'énigme, mon

garçon : *Suis l'abîmé à la flèche torse*. Mon navire s'appelle à juste titre *L'Abîmé*, comme tu peux en juger… Et sa proue est pour le moins « tordue », non ? Puis il est écrit : *Cherche tout au fond et là où elle te l'indiquera*. Ça veut dire qu'il faut aller là où pointe la proue, et, une fois sur place, sonder l'endroit. Tu vois, rien de bien compliqué !

– Si c'est aussi simple que ça, pourquoi n'avez-vous jamais trouvé le trésor ? demanda Rébecca.

– À cause de la guigne ! rugit Dentdor, rouge de colère. Elle nous poursuit. Pas vrai, matelots ?

– Pour sûr, capitaine ! Le sort s'acharne contre nous !

– Vous vous rappelez quand Ralph a ravaudé les voiles et qu'elles se sont quand même déchirées ? La poisse !

– Ouais, enfin, moi, je vous avais bien dit qu'il ne savait pas coudre ! rappela un marin avec un seul bras.

– Et vous vous souvenez du jour où nous

avons mangé la soupe de René et qu'après on s'est sentis mal ? Encore la malchance !

– Pourtant, le poisson datait seulement de l'année d'avant ! se justifia sombrement le cuisinier.

– Et qui se souvient de la fois où nous avons suivi la proue toute la nuit ? Ce n'est qu'au matin que nous nous sommes aperçus que c'était en fait la poupe ? Maudit destin ! gémit le chef des pirates.

– D'après moi, un malveillant avait tourné le navire dans l'autre sens ! plaida tristement le timonier, qui n'avait qu'un seul œil.

– Et ainsi de suite pendant quatre cents ans ! beugla Dentdor.

– Ohé, capitaine, j'aperçois un banc de morues juste là ! cria la vigie du haut de la hune. Si on se faisait une petite pêche ?

– Excellente idée ! Tous à vos lignes !

Rébecca, Martin et moi nous regardâmes, incrédules, pendant que Léo courait pêcher avec les pirates. S'approchant de Dentdor, l'aîné des Silver tenta de le faire réfléchir :

– Dites, capitaine, et si vous vous étiez, disons, trompés à propos de l'énigme ?

– « Trompés », comment ça ? demanda celui-ci.

– Eh bien, ce texte pourrait bien être incomplet ! Vous voyez, la feuille est déchirée…

– Par mille sardines au sel ! Ce garçon a raison ! Dans ce cas, il n'y a plus aucun espoir ! Tout est perdu !

Posant la tête sur l'épaule de Martin, Dentdor se mit à pleurer.

Voyant leur chef ainsi affligé, les marins éclatèrent en sanglots. Léo, très ému, lâcha, à son tour, un torrent de larmes.

Nous essayâmes par tous les moyens de les consoler, mais ils continuaient à sangloter et à renifler : impossible de les calmer !

Aux premières lueurs de l'aube, Dentdor, les yeux rougis, ordonna de faire demi-tour. Le navire rentra silencieusement et tristement dans la grotte. Une fois de plus, la quête du trésor avait échoué.

12
UNE SOLUTION...
TORDUE !

eu après, la marée commença à baisser. La grotte se vida progressivement et le trois-mâts se coucha de nouveau sur le flanc.

Le capitaine arrima une passerelle pour nous faire descendre et tout l'équipage se réunit pour nous adresser un ultime adieu.

– Chers amis, je vous remercie d'avoir partagé nos espoirs et notre déception, au cours de cette malheureuse nuit ! déclara Dentdor.

Un pirate se remit alors à pleurer.

– Dans quelques heures, nous redeviendrons des ombres et une autre interminable année devra s'écouler avant que nous puissions retenter notre chance. Adieu, mes courageux amis, emportez votre souvenir dans vos cœurs, comme nous conserverons précieusement le nôtre ! À moins que ce ne soit le contraire ?!

Nom d'un moucheron ! Une phrase de plus et j'avais l'œil humide, moi aussi !

– Un instant, intervint Léo, les yeux brillants. Avant de partir, j'aimerais que vous acceptiez ce modeste cadeau. C'est une vieille boussole, mais qui vous sera peut-être plus utile qu'à moi.

Le capitaine la prit en essuyant une larme avec son mouchoir. L'observant de plus près, il fit une grimace.

– Par la panse de Poséidon ! Son aiguille est tordue !

Martin et moi échangeâmes un regard : nous venions de penser à la même chose.

– Sa « flèche » est tordue, murmura l'aîné des

Silver, et la boussole elle-même est en très mauvais état. Pourrait-il s'agir de…

– … *l'abîmé à la flèche torse*, mais bien sûr ! s'exclama Dentdor, éberlué. Nom d'un cacatoès ! Pourquoi ne me l'as-tu pas dit plus tôt ! Maintenant, il est trop tard !

Bouillonnant de rage, il balança la boussole par-dessus bord.

– En voilà des manières ! Mon frère voulait seulement vous faire plaisir ! protesta Rébecca en allant ramasser l'instrument.

Elle aperçut alors une petite tortue aux yeux jaunes, surgie on ne sait d'où, qui, avec son museau, fourrageait dans le cadre ouvert de la boussole.

– Huguette ! s'écria-t-elle en la prenant dans ses bras.

Remarquant que l'animal tenait dans sa bouche un morceau de papier plié, elle lui demanda :

– Fais-moi voir ce que tu as trouvé…

Elle déplia le billet, le lut et son visage s'éclaira.

– C'est l'autre partie de l'énigme !

– Quoiii ?! hurla Dentdor en sautant du navire.

Nous rapprochâmes les deux morceaux de parchemin, qui s'ajustèrent parfaitement ! Pour la première fois depuis quatre siècles, le texte complet de la mystérieuse énigme était à nouveau lisible :

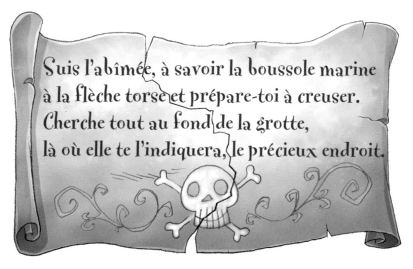

Suis l'abîmée, à savoir la boussole marine
à la flèche torse et prépare-toi à creuser.
Cherche tout au fond de la grotte,
là où elle te l'indiquera, le précieux endroit.

– Qu'est-ce que ça veut dire ? demanda le capitaine, tremblant d'impatience.

– Ça signifie que le trésor est caché dans la grotte ! expliqua Martin.

– Et la flèche à suivre est celle de la boussole !

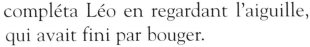

compléta Léo en regardant l'aiguille, qui avait fini par bouger.

– Vers où pointe-t-elle ? Dis-le-moi ! implora Dentdor, au bord de l'hystérie.

– Tout près de là où je me tiens ! répondit Léo.

– Vite, matelots, commencez à creuser ! ordonna le chef des pirates. Peut-être peut-on encore y arriver avant le lever du soleil !

Mais l'agitation tourna rapidement au chaos : pendant que l'un creusait un trou, un autre le comblait ; un troisième évacuait le sable qu'un quatrième rapportait !

– Par la barbe de Neptune ! Vous êtes des incapables ! Un peu d'ordre, que diable ! tempêta le capitaine.

Face à toute cette confusion, même les enfants Silver étaient désemparés. Or il faisait presque jour…

Je me souvins alors d'une précieuse manœuvre que m'avait enseignée mon cousin Aile-Filante : le vol en rotation ! Permettant de décoller en urgence de sols meubles ou sablonneux, elle est particulièrement efficace quand elle est exécutée à deux.

– J'aimerais te demander une chose… annonçai-je à Lily.

Dès que je lui eus exposé mon idée, elle répondit :

– Ce sera comme danser ensemble encore une fois !

Nous nous prîmes par la main et, à mon signal, nous commençâmes à tourner à toute vitesse.

Quand nous nous arrêtâmes, les pirates s'évertuaient à enlever de leurs yeux le sable que nous avions projeté.

En dessous de nous s'ouvrait un vaste trou, au fond duquel affleurait le dessus d'un vieux coffre en bois.

13
GRONDEMENTS ET GRONDERIES

e qui arriva quand le coffre fut ouvert est à peine descriptible.

Le soleil inonda la grotte, l'eau se remit à monter et le navire se redressa.

Les pirates, riant et pleurant, tombèrent dans les bras les uns des autres : la malédiction qui les enchaînait à cet endroit était brisée !

– Vite, matelots, montez à bord ! ordonna leur chef. On peut enfin partir !

Tous se précipitèrent sur le vaisseau, se bousculant et trébuchant ; et, une fois sur le pont, ils se mirent à danser et à chanter à tue-tête.

– Adieu, les amis ! Merci pour tout ! hurlèrent-ils. Nous ne vous oublierons jamais !

Dentdor tint à serrer chacun de nous dans ses bras, et lorsqu'il en arriva à moi et à Lily, il n'en finit plus de nous embrasser ! Puis il commanda à deux de ses hommes de charger le trésor sur *L'Abîmé*.

On entendit soudain un terrible grondement, les parois de la grotte tremblèrent et de gros blocs de pierre tombèrent de la voûte.

L'un de ces projectiles s'échoua en plein sur le coffre en bois !

– Mon trésor ! gémit Dentdor.

La pluie de pierres s'intensifia, et si le capitaine n'avait pas immédiatement largué les amarres, son navire aurait cédé comme le coffre.

– Allez, bande de mollusques ! gronda-t-il. Tous à vos rames : il faut fiche le camp !

Lily saisit ma main.

— Nous aussi, nous devons filer !

— Et mes amis ? Comment vont-ils sortir de la grotte ? criai-je.

À ce moment, un énorme fragment de roche se détacha de la paroi latérale, laissant apparaître une vaste étendue de mer.

Rébecca courut dans cette direction, tenant dans une main Huguette et tirant de l'autre un Léo dans tous ses états. Seul Martin s'attarda. Je le vis ramasser quelque chose par terre et le fourrer dans sa poche. Malheureusement, une pierre se détacha au-dessus de moi et me frappa à la tête. Aïe ! Je ne réussis à quitter la grotte que par le plus grand des miracles !

Nous rejoignîmes l'anse où nous avions laissé notre barque, et lorsque nous fûmes à bonne distance de l'île, nous nous retournâmes pour l'observer. Elle était, comme à l'ordinaire, nimbée de brouillard, mais cette fois une colonne de fumée blanche s'en échappait.

– Eh, regardez ce nuage là-bas ! s'exclama Rébecca en désignant l'horizon. Vous ne trouvez pas qu'il a la forme d'un vaisseau pirate ?

À côté de moi, Lily se mit à sangloter.

– Qu'y a-t-il ? lui demandai-je.

– Je n'ai pas vu ma famille sortir, Bat. Je dois aller les chercher.

Et avant que je puisse l'arrêter, elle s'envola en direction de l'île.

J'essayai de la suivre, mais une vive douleur à l'épaule m'en empêcha.

Quand l'oncle Charlie nous vit arriver, il faillit s'évanouir.

Rentré en pleine nuit de son congrès, il ne nous avait pas trouvés à la maison et s'était affolé. Lorsqu'il était descendu au ponton et avait constaté que la barque n'y était plus, il avait immédiatement compris que nous l'avions prise pour rejoindre l'île de la Tête de mort.

Il s'était alors précipité au port dans l'espoir de convaincre Cornélius de l'accompagner là-bas, mais lorsque les premiers grondements s'étaient fait entendre, ni son ami ni aucun autre marin n'avait plus été disposé à risquer son bateau, voire sa vie, dans l'île.

– Bande d'incons-
cients ! tempêta-t-il
dès que nous
mîmes pied à
terre. Vous vou-
liez que j'aie
un infarctus ?!
Qu'êtes-vous allés
faire là-bas, tout seuls ?

– Chercher le trésor en compagnie de pirates,
tonton ! lui répondit très sérieusement Rébecca.

– Ne joue pas à la plus fine avec moi, jeune
demoiselle ! Dites-moi ce qui s'est passé ! Je
veux tout savoir !

– Nous te raconterons tout, mais seulement
devant un grand plat de calamars frits !

L'oncle Charlie ne crut pas un mot de notre
récit et fut fâché que nous lui ayons rapporté
une tortue. Évidemment, nous ne dîmes pas
réellement *tout*.

Martin passa ainsi sous silence la rencontre avec les pirates. Rébecca, occupée à panser mon épaule, ne mentionna pas le trésor découvert puis reperdu. Et Léo… eh bien, il avait la bouche trop pleine pour parler.

Ce fut pourtant lui qui nous ménagea la plus grande surprise. Il ouvrit sa boussole et en sortit les deux morceaux de papier jaunis qui s'ajustaient parfaitement. Le parchemin avait « échappé », Dieu sait comment, au capitaine Dentdor !

— Où l'as-tu pris ? s'indigna Rébecca.

— Surprise de l'œuf de Pâques ! ironisa Léo.

— Mais il appartient au capitaine ! insista-t-elle. Tu aurais dû le lui laisser.

— Quel capitaine ? intervint l'oncle Charlie, intrigué.

— Bah… c'est juste l'un de nos vieux amis, tonton ! s'empressa de répondre Léo. Au fait, à propos de loups de mer, pourrais-tu donner ça à

Cornélius Chips ? poursuivit-il en lui tendant le parchemin. Dis-lui aussi qu'il avait raison à propos de la boussole. Il comprendra.

14

L'ÎLE DE LA MERINGUE PIRATE

e train pour Fogville partait à 10 heures.

Durant toute la nuit qui précéda, j'attendis, assis sur le rebord de la fenêtre, le retour de Lily. À l'aube, tombant de fatigue, je m'endormis profondément et fis un rêve.

C'était mon mariage. Lily portait une magnifique robe blanche et moi un costume bleu nuit rehaussé d'un élégant nœud papillon constellé d'étoiles, tout comme le ciel.

L'oncle Procope ouvrait la cérémonie avec un

beau discours, puis, se tournant vers moi, me posait la question fatidique :

– Bat Pat, veux-tu bien… te réveiller ? Debout, Bat ! Secoue-toi ou nous allons rater le train !

La douce voix féminine qui me parlait n'était pas celle de Lily, mais celle de Rébecca ! Le départ était dans vingt minutes et pas la moindre trace de Lily, snif !

La vieille Tripper prit le chemin de la gare, enveloppée de son habituel nuage de fumée.

Dès que nous pûmes voir la mer, nous poussâmes, les enfants Silver et moi, un même cri de surprise :

– Regardez l'île !

L'oncle Charlie donna un grand coup de frein et contempla l'horizon avec un air de merlan frit : le brouillard qui nimbait habituellement l'île de la Tête de mort avait disparu, comme l'avait dit Lily ! Et les éboulements de l'autre nuit avaient changé la forme du rocher.

– On dirait une grosse meringue ! s'exclama l'oncle Charlie.

– À partir de maintenant, vous pourriez l'appeler comme ça, suggéra Léo, l'île de la Meringue pirate ! Imagine le nombre de touristes que ça attirerait ! Je voudrais une meringue au parfum de vieilles bottes racornies, s'il vous plaît. Euh, non, plutôt à l'épée rouillée !

– À l'épée rouillée ? Trop indigeste, rétorqua le tonton. Je préfère de loin mon sorbet aux palourdes !

Nous arrivâmes dans les temps.

– Au revoir, moussaillons ! Saluez votre maman et votre papa pour moi ! cria l'oncle Charlie, alors que le train démarrait.

Pendant que ses neveux lui faisaient de grands signes d'adieu, je pointai le nez par la fenêtre ouverte : décidément, pas de Lily.

– La seule chose que je regrette, commença Léo, c'est que nous ne rapportions aucun souvenir matériel de cette aventure, à part une boussole cassée…

– … et une tortue ! ajouta Rébecca en sortant Huguette de son sac.

– … sans oublier un doublon, tombé du coffre

au trésor ! compléta Martin en exhibant une vieille pièce de monnaie.

C'était donc cela qu'il avait ramassé dans la grande grotte !

Ainsi étais-je le seul à repartir les mains vides. Lily n'était même pas venue me dire au revoir.

Quand le train prit de la vitesse, je regardai tristement le paysage. Soudain, un petit oiseau passa devant la fenêtre.

Je me penchai un peu au-dehors pour le voir, lorsqu'il réapparut et fondit sur moi.

– Aïe ! mon épaule ! hurlai-je avant de reconnaître ma chère chauve-souris aux yeux bleus, qui retomba dans mes bras. Lily !!! m'écriai-je alors.

– Tu pensais peut-être que j'allais te laisser partir comme ça ?

– Mais où avais-tu disparu ?

– Je suis retournée sur l'île et, devine quoi, tout le monde va bien ! Tout ça grâce à toi et à tes amis ! dit-elle en me sautant au cou et en me plaquant une bise sur chaque joue.

Une douce ritournelle résonna dans ma tête et j'eus envie de danser de joie !

— Mon papounet m'a demandé de te saluer et t'a déjà invité pour mon prochain anniversaire ! Tu viendras ?

— Bien sûr !

— J'y compte, tu sais, murmura-t-elle en glissant un petit billet dans ma patte. Parce que, je ne sais pas si je te l'ai déjà dit, mais tu m'es très sympathique !

— Toi aussi, décidément ! lançai-je avant qu'elle reparte au loin.

Puis je m'effondrai sur mon siège, et Léo reprit sa rengaine :

— Bat est amoureux ! Bat est amoureux !

Et qu'y avait-il d'écrit sur le billet ? Son adresse, évidemment !

Je découvris par la suite qu'il est bien plus difficile de rédiger une lettre destinée à une charmante chauve-souris que de raconter une histoire qui donne la chair de poule !

À propos d'aventures, à notre retour, les parents Silver nous trouvèrent en grande forme ! Le bon air de la mer, assurément ! La seule chose qui ne plut pas à monsieur Silver, ce fut la tortue, mais Rébecca jura qu'elle ne gênerait personne.

Désormais, elle passe des heures à parler à cet animal, qui n'a pourtant rien d'exceptionnel ! Comprenne qui pourra… Moi, au moins, quand Rébecca me parle, je lui réponds ! Bon… pas impossible que je sois un peu jaloux…

Martin a briqué son doublon et le sort, de temps en temps, pour l'admirer.

Quant à Léo, il a décidé d'apprendre à cuisiner le poisson et nous a promis, pour ce soir, des pavés de saumon. Quelqu'un pourrait-il lui préciser qu'il n'y a pas de pierres dans la recette ?!

En attendant l'heure de dîner, je rêve devant ma feuille blanche à ce que je pourrais écrire à Lily. Je pourrais commencer par un poème :

Ma chère Lily,
Quand je pense à tes yeux bleus,
Je m'envole dans les cieux
Et je suis le plus heureux !!!

Vous pensez que ça lui plaira ?

Un grand salut, le « cœur battant », de votre

Bat Pat

LES CANNES À PÊCHE EMMÊLÉES

Nom d'un moucheron ! Les cannes à pêche de Martin, Léo et Rébecca se sont emmêlées. Pour découvrir ce que chacun a pêché, suis le fil de chaque canne.

Solutions : Léo : poisson. Rébecca : vieille chaussure. Martin : pneu.

L'ARMOIRE DU BOUCANIER

Quel objet se trouve dans les deux premiers ensembles mais pas dans le troisième ?

LA VIE DES PIRATES

Chers « amis du frisson », savez-vous que mon ami Dentdor m'a raconté un tas de choses passionnantes à propos des pirates ? Écoutez ça :

PIRATES BREVETÉS

Précisons, tout d'abord, que si aujourd'hui pirates et corsaires semblent renvoyer à la même chose, il existait autrefois une grande différence entre les uns et les autres. Les pirates étaient des hors-la-loi, alors que les corsaires étaient autorisés par le pouvoir de leur pays à attaquer les navires ennemis en vertu d'une « lettre de course ». En échange, ils devaient remettre à leur gouvernement une partie de leur butin.

LE MENU DU BORD

Durant les longs mois de navigation loin de tout port, le menu proposé à l'équipage n'était pas très varié. Il comprenait invariablement de la viande séchée, des galettes (ou « biscuits de mer »), des œufs et (ne le dites pas à Rébecca…) de la chair de tortue.

UN HOMME À LA MER

Tout comme Dentdor et ses compagnons fantômes, plusieurs pirates parmi les plus célèbres ne savaient pas nager. À ce qu'il paraît, lorsqu'un capitaine perdait son navire, c'était un homme fini. Dès lors, il ne lui était guère utile de savoir flotter…

La terreur des sept mers

Connaissez-vous la réputation de Barbe-Noire ? C'était, dit-on, un personnage incroyable : il se maria quatorze fois, pouvait manier jusqu'à six pistolets à la fois et parsemait sa coiffure de mèches de poudre à canon, de manière à apparaître au milieu d'un nuage de fumée !

Le bateau pirate

La majorité des navires utilisés pour la piraterie étaient des voiliers. Voici à quoi ils ressemblaient :

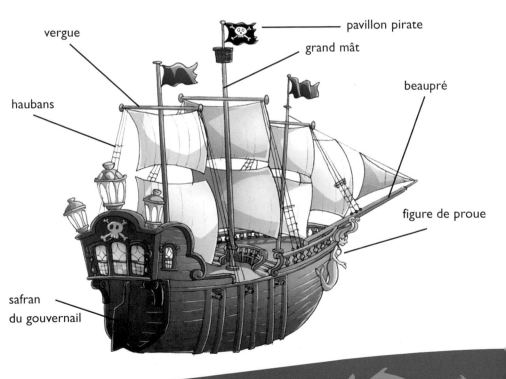

vergue

pavillon pirate

grand mât

beaupré

haubans

figure de proue

safran
du gouvernail

LES DOUBLONS DU PIRATE

Ingrédients

- 200 g de farine
- 20 g de cacao amer
- 80 g de beurre
- 120 g de sucre
- 150 g de pépites de chocolat
- 1 œuf
- 1 sachet de levure
- ½ sachet de sucre vanillé
- 1 pincée de sel

1. Verse la farine, le cacao, le sucre et la levure dans un sala-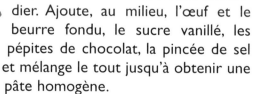dier. Ajoute, au milieu, l'œuf et le beurre fondu, le sucre vanillé, les pépites de chocolat, la pincée de sel et mélange le tout jusqu'à obtenir une pâte homogène.

2. Laisse reposer la pâte pendant 30 minutes, puis étale-la. À l'aide d'un verre retourné, découpe des cercles dedans et dispose-les sur une plaque allant au four recouverte de papier sulfurisé.

3. Fais cuire à 180 °C pendant environ 20 minutes.

Rappel : fais-toi toujours aider d'un adulte pour utiliser le four.

TABLE
DES MATIÈRES

1. Des vers à la menthe 9

2. De bien sinistres légendes 19

3. Un marin unijambiste 27

4. Ça sent les ennuis ! 35

5. Morue et brouillard 42

6. Deux petits yeux jaunes 49

7. Un danseur professionnel 55

8. Voltige à quatre ailes 68

9. Vrais et faux pirates 76

10. Un Martin pêcheur 85

11. Sortez vos mouchoirs 91

12. Une solution… tordue ! 96

13. Grondements et gronderies 102

14. L'île de la Meringue pirate 111

JEUX 120

CETTE HISTOIRE
VOUS A PLU ?
RETROUVEZ-MOI
DANS D'AUTRES AVENTURES...

1. Le Fantôme du cimetière
2. La Sorcière de minuit
4. La Valse du vampire